NOTE DE L'ÉDITEUR

Vous trouverez dans chaque volume de la série

CARD CAPTOR SAKURA

une carte marque-page représentant les personnages de la série.
Collectionnez-les et gardez-les précieusement...
Elles vous seront très utiles !

C
CLAMP

Card Captor Sakura, Vol. 11
a été réalisé par

CLAMP

SATSUKI IGARASHI
NANASE OHKAWA
MICK NEKOI
MOKONA APAPA

JE PENSE QUE JE VAIS VOUS CRÉER QUELQUES ENNUIS...

MAIS AVEC TOI SAKURA, "TOUT IRA BIEN".

SAKURA
CARD CAPTOR

LE SOLEIL ET LA LUNE SONT MASQUÉS...

ILS RES-SEM-BLENT
À YUÉ ET KÉLO...
« MAIS AVEC TOI SAKURA, TOUT IRA BIEN... »
« JE PENSE QUE JE VAIS VOUS CRÉER QUELQUES ENNUIS... »
LA VOIX DE CLOW...

TU ES...

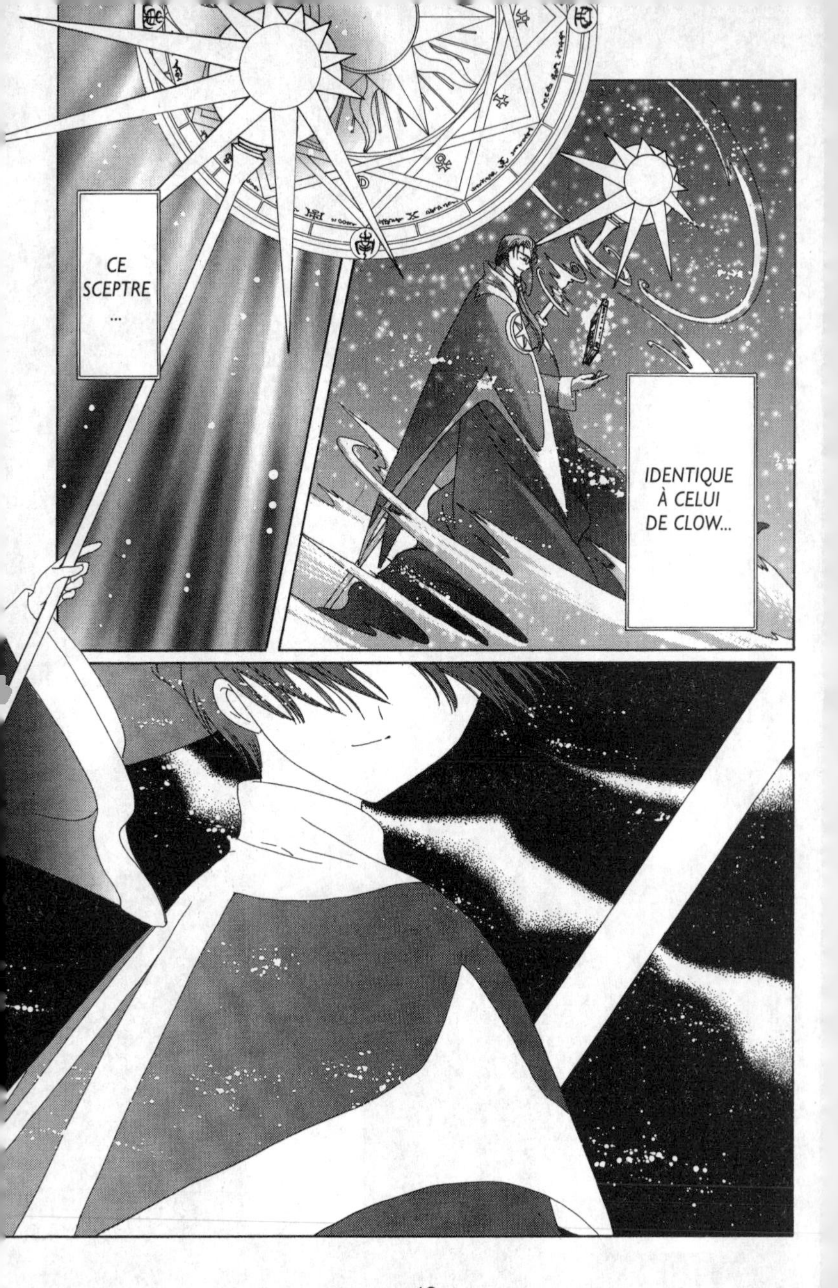
CE SCEPTRE ...
IDENTIQUE À CELUI DE CLOW...

« LE... TOUR... EIL...LES... EILLERA... OUS... »

HUM... JE CONNAÎS LE PERSONNAGE DE MON RÊVE !

C'EST CELUI QUE J'AI APERÇU DANS L'ÉTANG DU SANCTUAIRE TSUKIMINE.

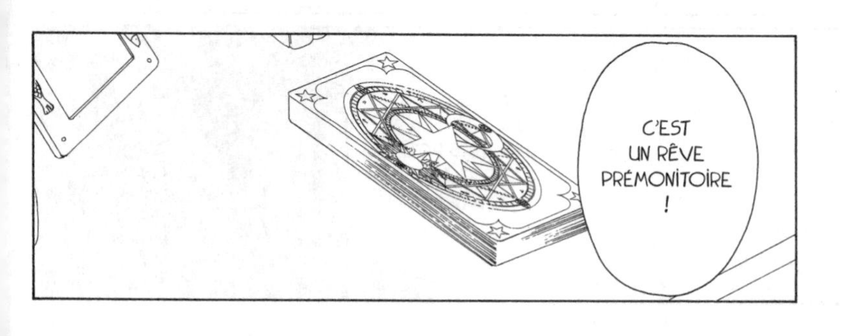
C'EST UN RÊVE PRÉMONITOIRE !

ÇA VEUT DIRE QUE TA FORCE EST DEVENUE TRÈS GRANDE...
C'EST POUR ÇA QUE MAINTENANT TU ARRIVES À TE SOUVENIR DE TES RÊVES...
C'EST PARCE QUE TU AS TRANSFORMÉ BEAUCOUP DE CLOW CARDS EN SAKURA CARDS !
MAIS JE ME DEMANDE POURQUOI JE ME SOUVIENS AUSSI BIEN DU RÊVE DE CE MATIN ?
ALORS, JE LES AI TOUS OUBLIÉS JUSQU'ICI CAR...
QUELQU'UN UTILISAIT SES POUVOIRS POUR QUE TU LES OUBLIES !

MAIS JE PENSE QUE ÇA DOIT ÊTRE
L'UN DES INDIVIDUS QUE TU AS VUS DANS TON RÊVE.
QUI SAIT ?
MAIS QUI A PU FAIRE ÇA ?
TU AS ENTENDU LA VOIX DE CLOW DANS CE RÊVE, PAS VRAI ?
ET PUIS,

À L'ÉPOQUE OÙ LES CARTES ÉTAIENT ÉPARPILLÉES, CELA AVAIT UN SENS...
MAIS MAINTENANT QUE TU ES DEVENUE LA MAÎTRESSE DES CARTES,
OUI, C'ÉTAIT LA MÊME VOIX QUE NOUS AVONS ENTENDUE QUAND YUÉ M'A ACCEPTÉE COMME MAÎTRESSE
POURQUOI CLOW VOUDRAIT-IL TE CAUSER DES ENNUIS ?
" JE PENSE QUE JE VAIS VOUS CRÉER QUELQUES ENNUIS...
MAIS AVEC TOI SAKURA, TOUT IRA BIEN. "
MAIS...
JE NE VOIS PAS...

DE PLUS,
LE PERSONNAGE DU RÊVE,
BRANDISSAIT LE MÊME SCEPTRE QUE CLOW !
QUAND QUELQUE CHOSE DE BIZARRE SE PRODUIT,
ON SENT TOUJOURS SON AURA. POURQUOI ?

LE CLOW QUE TU AS REVU DANS SES DERNIERS INSTANTS,
ET CELUI QUE YUÉ ET MOI AVONS CONNU SONT DIFFÉRENTS...
ÍL A CERTAINEMENT DÛ METTRE AU POINT QUELQUE CHOSE AVANT DE MOURIR...
MAIS CELA FAIT LONGTEMPS MAINTENANT QU'IL EST MORT !
OUEP !
MAIS SA PUISSANCE ÉTAIT INCROYABLE !
IL A TRÈS BIEN PU LANCER UN SORT QUI PERDURE MÊME APRÈS SA MORT.

IL FAUT
QUE J'AILLE LÀ-BAS...
OÙ ÇA ?
À L'ENDROIT DONT J'AI RÊVÉ !

TU VEUX ALLER LÀ OÙ SE SONT DÉROULÉS TES RÊVES ?
ÉCOLE PRIMAIRE TOMOEDA
JE CROIS QUE C'EST À LA TOUR DE TOKYO...
JE ME DEMANDE POURQUOI J'Y ENTENDS LES VOIX DE KÉLO ET YUÉ ?
ET QUI EST CETTE PERSONNE QUI DÉTIENT LE SCEPTRE DE CLOW ?
IL DOIT SE PASSER QUELQUE CHOSE LÀ-BAS : JE DOIS VÉRIFIER !

TE SOUVIENS-TU DE L'ORACLE LUNAIRE ?
SI QUELQUE CHOSE DEVAIT T'ARRIVER OU SI TU COURAIS UN DANGER, TU M'EN PARLERAIS ?
MOUI !
KÉLO M'A DIT QUE MA FORCE ÉTAIT AU TOP NIVEAU !
MAIS T'INQUIÈTE PAS, ÇA VA ALLER !
TU Y VAS AUJOURD'HUI ?
OUI !
PARCE QUE PAPA ET GRAND FRÈRE NE SONT PAS LÀ CE SOIR !
ET PUIS LA TOUR DE TOKYO EST TOUT PRÈS...

NE DIS PAS ÇA !
SI JAMAIS LE VRAI CLOW EST DERRIÈRE TOUT ÇA, JE NE POURRAIS SANS DOUTE RIEN FAIRE, MAIS BON...
TU ME SAUVES À CHAQUE FOIS, SHAOLAN !
JE VIENS AVEC TOI !
JE NE FAIS JAMAIS...

JE NE COMPTE PLUS LES FOIS OÙ
TU M'AS SAUVÉE, ET
LE SIMPLE FAIT DE TE SAVOIR À MES CÔTÉS
ME RASSURE !

GLUP
SHAOLAN, SI TU LUI RÉVÈLES TES SENTIMENTS,
JE SUIS SÛRE QU'ELLE LES ACCEPTERA...
ET QU'ELLE TE DONNERA UNE RÉPONSE DIGNE DE NOTRE SAKURA !
EUH... JE...
Oui ?

QUAND ON AURA FINI CE QU'ON DOIT FAIRE AUJOURD'HUI,
WOÉ ?
RIEN...
TU ME DIRAS TOUT CE QUE TU AS SUR LE CŒUR... DÈS QU'ON REVIENDRA DE LA TOUR DE TOKYO.
PROMIS ?

TU VEILLES SUR SAKURA AVEC UN REGARD PROTECTEUR !
TU ES TOUJOURS COMME ÇA !

TOUT COMME TOI, ÉRIOL !

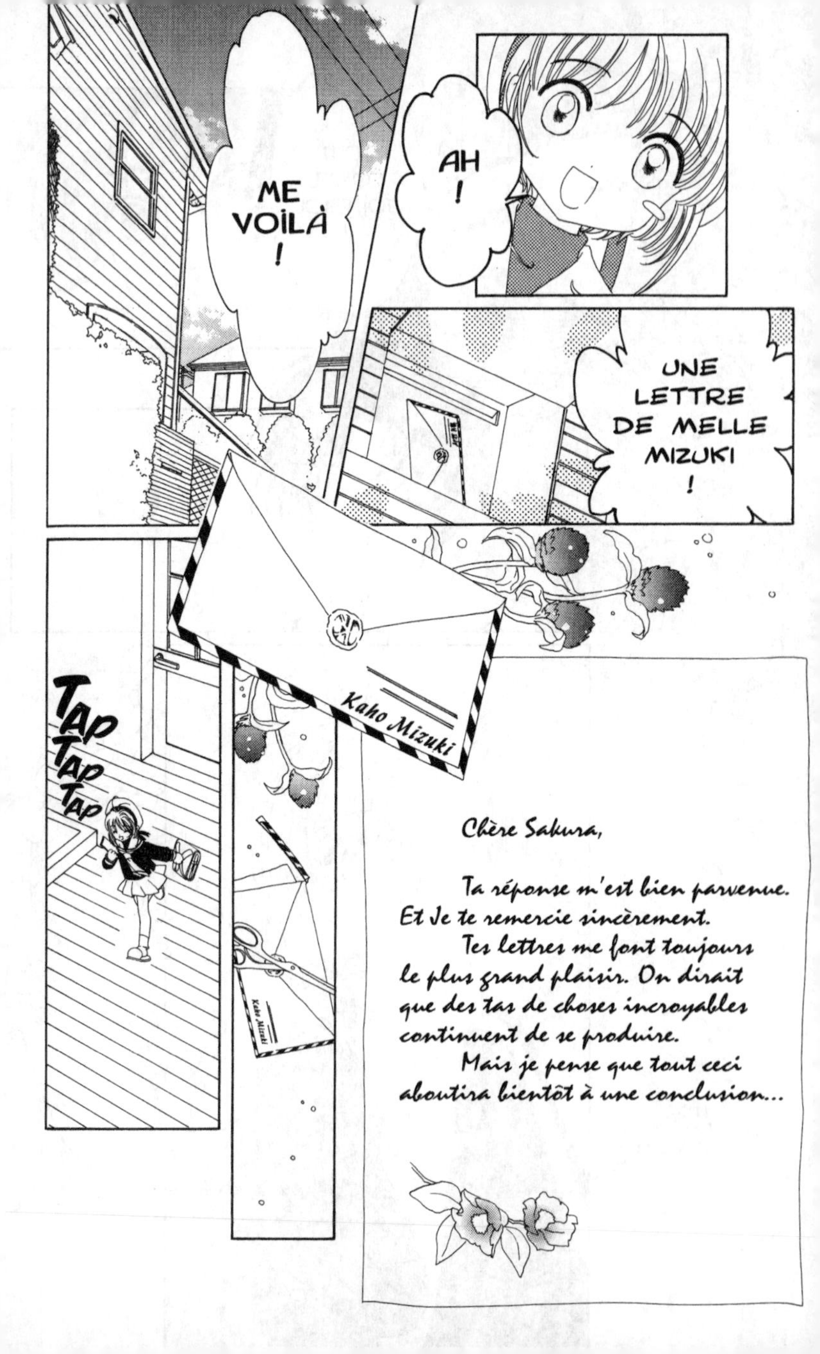
AH !
ME VOILÀ !
UNE LETTRE DE MELLE MIZUKI !
Kaho Mizuki
TAP TAP TAP
Chère Sakura,
Ta réponse m'est bien parvenue.
Et Je te remercie sincèrement.
Tes lettres me font toujours le plus grand plaisir. On dirait que des tas de choses incroyables continuent de se produire.
Mais je pense que tout ceci aboutira bientôt à une conclusion...

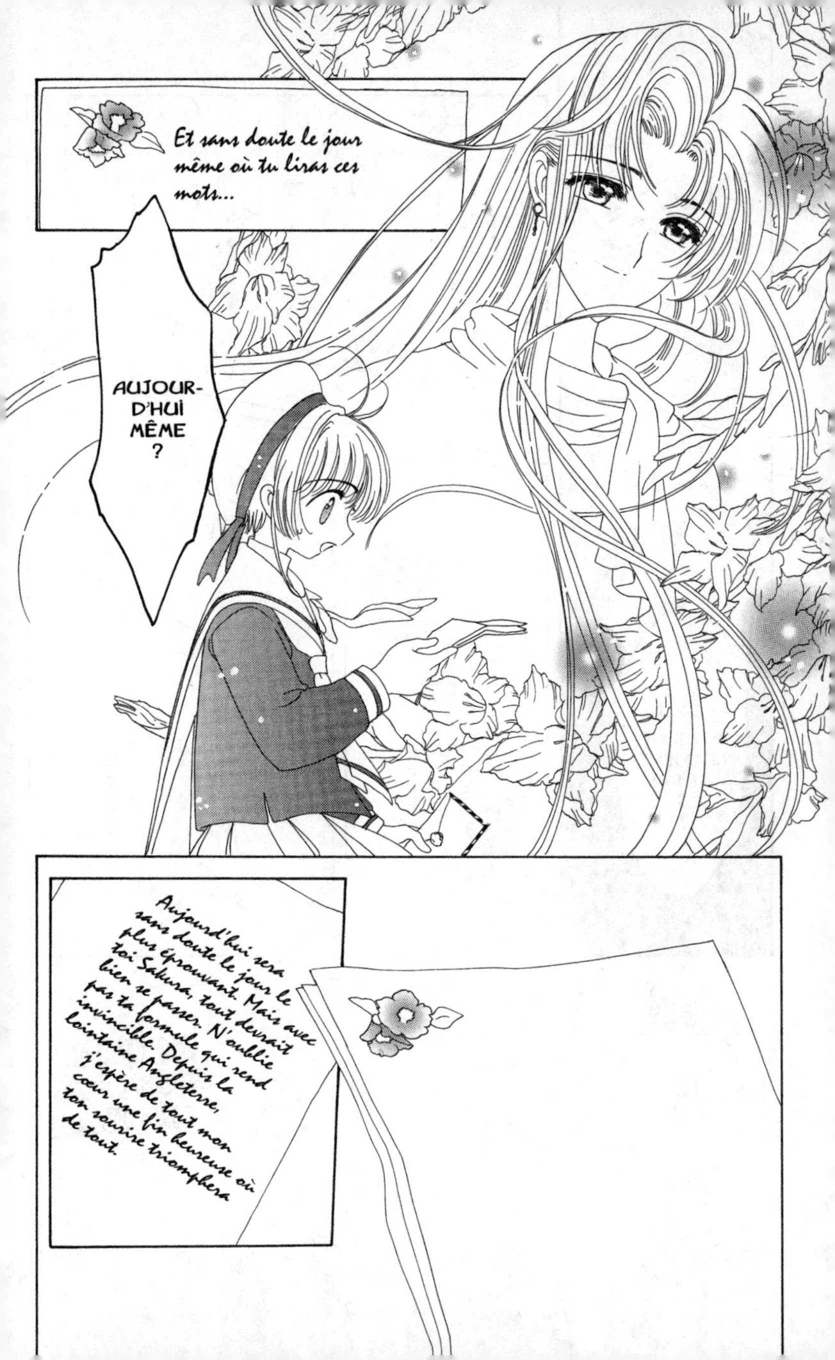
Et sans doute le jour même où tu liras ces mots...
AUJOUR-D'HUI MÊME ?
Aujourd'hui sera sans doute le jour le plus éprouvant. Mais avec toi Sakura, tout devrait bien se passer. N'oublie pas ta formule qui rend invincible. Depuis la lointaine Angleterre, j'espère de tout mon coeur une fin heureuse où ton sourire triomphera de tout.

Oui, chuis là !
AH !
Tu es rentrée ?
Kaho Mizuki
Il me reste du temps avant de partir, alors, je peux la faire !
Laisse-moi faire la lessive !
Je ne comprends pas tout ce qu'elle veut me dire !
...
Woé?
Hein ?
Y'a quèk chose sur mon visage ?

TOI, TU AS ENCORE DES TRACAS...
EH ?
COMMENT TU SAIS ?
PARCE QUE T'ES MON PAPA ?!

ÉCOUTE, SI JE PEUX FAIRE QUELQUE CHOSE, DIS-LE-MOI !
JE SAIS, MAIS ÇA VA ALLER !
OUAH PAPA, T'ES GÉNIAL !
HEIN ?
CETTE SENSATION ?

CE QUE JE RESSENS AUPRÈS DE PAPA...
ÉVOQUE CE QUE JE RESSENS AVEC ÉRIOL...

TU AS DEVINÉ ?
ON DIRAIT QUE TU T'ES DÉCIDÉ !

CELA FAIT BIEN LONGTEMPS QUE L'ON SE CÔTOIE !
ET VOUS ÊTES RESTÉ SOUS CETTE FORME ENFANTINE DEPUIS QUE VOUS NOUS AVEZ CRÉÉS...
GARDEREZ-VOUS ENCORE LONGTEMPS CETTE APPARENCE ?

AVEC CELA...
LA MAGIE DE SAKURA EST DEVENUE SUFFISAMMENT PUISSANTE !
ON DIRAIT QUE TOUT CECI TOUCHE À SA FIN !
J'AI DU COURRIER POUR TOI ÉRIOL !
TE VOICI...
BIENVENUE !
ME VOILÀ !

MERCI !
POURTANT, IL A N'A PLUS SES RÉSERVES MAGIQUES...
IL T'INTÉRESSE TOUJOURS ?
ÉRIOL M'A ORDONNÉ DE LAISSER TSUKISHIRO, ENFIN YUÉ, PRENDRE LA MAGIE DE TOYA SANS INTER-VENIR...
GRMBLGRM
MMMOUI!
AUJOUR-D'HUI, BEN... J'AI DÉJEUNÉ AVEC TOYA ET YUKITO TSUKISHIRO.
TOYA N'AVAIT PAS DU TOUT ENVIE, MAIS TSUKISHIRO AVAIT LE SOURIRE AUX LÈVRES !
JE CROIS QU'ILS VONT BOSSER TOUS LES DEUX CE SOIR. SI J'ALLAIS LES EMBÊTER ?
TRA LALA !

QU'EST-CE QUE TU DÉSIRES TANT ?
DIS-MOI, ÉRIOL...
QUELLE EST LA VRAIE RAISON DE NOTRE VENUE À TOMOEDA ?
EN TOUT CAS, ÇA A SÛREMENT UN RAPPORT AVEC CETTE PETITE SAKURA...
C'EST SI "GENTILLET" !
MAIS ON DIRAIT QUE TOUT CECI MANQUE DE SÉRIEUX !
HUM...

TU LE SAURAS CE SOiR !
ÇA AUSSi,
Kaho Mizuki

PLOP
WOUAH ! LES VÊTEMENTS TE VONT TROP BIEN ♡ !
RAAAH
OH !
C'EST QUE JE SUIS GÊNÉE
PAS DE SOUCI, LES GENS PENSERONT QU'ON PREND DES PHOTOS DE MODE !
EUH...
BON, MAIS, LÀ... FAUT VRAIMENT QUE JE SOIS HABILLÉE
AINSI ?

AAAAAAC
EH ?
ET SHAOLAN AUSSI A MIS SON COSTUME D'APPARAT !
OUI, UN FILM D'ACTION ! OU UNE BELLE HISTOIRE DONT VOICI L'HÉROÏNE
C'EST UN PEU TROP !
EN VOUS VOYANT TOUS LES DEUX J'AI DE PLUS EN PLUS L'IMPRESSION QU'ON VA TOURNER UN FILM !
C'EST JUSTE PLUS PRATIQUE POUR AGIR...
C'EST TOUJOURS COMME ÇA PAR ICI ?
J'AI BEAU REGARDER PARTOUT, IL N'Y PAS GRAND MONDE...
NON, NORMALEMENT, MÊME EN SEMAINE, IL Y A BEAUCOUP DE PASSAGE...

ÇA C'EST BIEN VRAI, PITCHOUNE !
IL N'Y A JAMAIS DE TÉMOINS !
J'AVAIS DÉJÀ REMARQUÉ QUE...
LORSQUE L'AURA DE CLOW APPARAÎT ET QUE LES CHOSES SE GÂTENT,
OUI, MAIS QUI ?
EST-CE QUE QUELQU'UN EMPÊCHERAIT LE PASSAGE DES PROME-NEURS ?

TOC
C'EST MOI !
AAAAAH !

MAIS C'ÉTAIT SYMPA DE DÉJEUNER TOUS ENSEMBLE !
ET PUIS CES BOULES DE RIZ ÉTAIENT SAVOUREUSES !
flower shop
AH LÀ LÀ, CETTE AKIZUKI...
800 YEN LA PIÈCE
OUI, MAIS ELLE...
HOU LÀ !
AH !
flowe
YUKI ?
FLAP

MA MAÎTRESSE EST EN DANGER !
KLAAAASH

C'EST LE NOUVEL ÉCOLIER DONT TU M'AS PARLÉ ?
OUI !
ÉRIOL !

C'EST VRAI !
POURQUOI SON AURA RESSEMBLE À CELLE DE CLOW ?
C'EST AINSI...
RÉPONDS, ÉRIOL !

OUI, MAIS MON VRAI NOM...
FLAAASH
MAIS, C'EST AKIZUKI, QUI EST AVEC ÉRIOL ! ELLE EST DANS LA CLASSE DE MON FRÈRE !
C'EST RUBY MOON.

QUANT À NOUS, C'EST LA PREMIÈRE FOIS QUE NOUS NOUS RENCONTRONS...
HSAAAAAAA

ON DIRAÎT KERBEROS ET YUÉ !?
OUI, C'EST BIEN ÇA !
MAIS-QU'EST-CE QUE ÇA VEUT DIRE TOUT ÇA ?
NOUS, SPINEL SUN ET RUBY MOON,
TOI, KERBEROS, AINSI QUE YUÉ, AVONS ÉTÉ CRÉÉS PAR LA MÊME PERSONNE !

CLÉ DU POUVOIR OCCULTE !
MOI, ÉRIOL, PAR NOTRE LIEN TE L'ORDONNE !
CI-DEVANT DÉVOILE TA VÉRITABLE APPARENCE !
QUOI ?
LIBÉRATION !

MAIS DANS MA VIE PRÉCÉDENTE, CE FUT..
LE NOM DE MON INCARNATION PRÉSENTE EST ÉRIOL !

CLOW LEAD !

IL POSSÈDE LE MÊME SCEAU MAGIQUE QUE CLOW !
ÇA VOUDRAIT DIRE
QU'IL EST LA RÉINCARNATION DE CLOW ?
MAIS DANS CE CAS,
POURQUOI CAUSER AINSI DU TORT À SAKURA ?

SILENCE ! IL EST TEMPS DE COMMENCER !
CLOW...
PARCE QUE JE DÉSIRE QUELQUE CHOSE,
KERBEROS...

LE SOLEIL ! LA LUNE !
ILS SONT MASQUÉS !

POF
TOMO-YOOO!
AH
TO-MO-YO?
DASH
ZZZZ ZZZZ ZZZZZZZZZZZZZZZ

DASH
ZZZ
ZZ
ZZZZ
CETTE PUISSANCE... C'EST CLOW !
QU' Y A-T-IL ?
BLAM
STAP

POUR-QUOI ?

SHAOLAN !
ARGH
QU'EST-CE QUE T'AS FAIT ?

CETTE VILLE
EST MAINTE-NANT CERNÉE PAR LES TÉNÈBRES !

J'AI APPELÉ LES TÉNÈBRES !

ET TOUS LES HABITANTS
SONT PLONGÉS DANS UN PROFOND SOMMEIL !
COMMENT ÇA ?

EN VÉRITÉ, JE PENSAIS T'ENDORMIR TOI AUSSI !
MAIS TU ES DEVENU TROP FORT !
HEIN ?
L'AUBE APPROCHE, MALGRÉ CELA LES TÉNÈBRES PERDURE-RONT...
ET LES HABITANTS DE CETTE VILLE CONTI-NUERONT À DORMIR...
C'EST-À-DIRE ? COMBIEN DE TEMPS ?

POUR...
TOU-
JOURS
!
À SUIVRE

SAKURA
CARD CAPTOR

TU DOIS VAINCRE MA MAGIE AVEC LA TIENNE,
C'EST LE SEUL MOYEN DE CHASSER LES TÉNÈBRES !
QUE DOIS-JE FAIRE POUR LES RÉVEILLER ?

MAIS TU NE POURRAS PAS SAKURA !
VAINCRE LA MAGIE DE CLOW ?
MAIS...
SAKURA !
TU DOUTES, ET LE TEMPS S'ÉCOULE,

MAIS JE NE PEUX PAS UTILISER MA MAGIE CONTRE ÉRIOL !
EH BIEN...
FLAP
PEUT-ÊTRE QUE SI C'EST MOI QUI T'ATTAQUE, SAKURA,
TU N'AURAS PAS DE SCRUPULES À RIPOSTER !

TU TE DÉFENDS BIEN ! VOYONS LA SUITE...
AH !

FLASH
POM
GROOO
GRAW

VLOOOOF
KÉLO-OOO !
FSCHH
M... MINCE !
GRRR

JE SAVAIS BIEN QUE SAKURA N'ÉTAIT PAS À TON NIVEAU, ÉRIOL !

DOOM
GROOOO
DAAAAAAAAAAM

YUÉ !
AH !
MON FRÈRE ? MAIS... QU'EST-CE QU'IL A ?
IL DORT...
LUI AUSSI ?

SUP
C'EST PARCE QU'IL M'A DONNÉ TOUT SON POUVOIR...
CLOW...
C'EST LA DEUXIÈME FOIS QU'ON SE VOIT YUÉ !

LE SOUVENIR DE CETTE RENCONTRE A ÉTÉ EFFACÉ DE MA MÉMOIRE...
LA PREMIÈRE FOIS,
J'AVAIS REPRIS MON APPARENCE INITIALE...
C'ÉTAIT VOUS, N'EST-CE PAS ?
MAIS JE SUIS REDEVENU YUKITO SANS RAISON !
JE NE VOULAIS PAS QUE TU SACHES QUI J'ÉTAIS À CE MOMENT-LÀ !

PUISQUE YUÉ EST LÀ, JE SUIS TOUTE DÉSIGNÉE POUR L'AFFRONTER !
SI VOUS VOUS ÊTES RÉIN-CARNÉ,
ALORS POURQUOI NOUS AVOIR CHOISI UN NOUVEAU MAÎTRE ?

FLAPPA PAPPA PAASH
FLAP
WHUM

SHLACK
SHACK
SHLACK
SHAK
SHICK

ÇA AUSSI C'EST DE MA FAUTE ?
QUI CROIRAIT QUE TU AS PRIS L'ÉNERGIE DE TOYA ?
ARRÊTE DE DIRE ÇA, SAKURA, TU N'Y ES POUR RIEN !
GGGG
GGG
GGG

CETTE FOIS, C'EST LA BONNE ! EN GARDE !
ARRÊTEZ !

ENTENDU !
SHAOLAN,
PRENDS SOIN DE MON FRÈRE ET DE TOMOYO !

POURQUOI FAIS-TU CELA ?
JE NE COMPRENDS PAS !
TAP
POURQUOI TU NOUS ATTAQUES AUJOURD'HUI ?
TU M'AS TOUJOURS PORTÉ SECOURS !
ÉRIOL ! CLOW !

SI TU VEUX CONNAÎTRE LA RÉPONSE...
IL FAUT VAINCRE MA MAGIE !

NON, PAS ÇA !
LE JOUR APPROCHE, SAKURA...
ÇA NE TE FAIT RIEN SI PLUS PERSONNE NE SE RÉVEILLE ?
MAIS...
MAIS...
GRIP

FAIS ATTENTION !
LIBÉRATION !
FLAAASH
CRACOOOM

DOOM
SHIELD !
FLASH
THE SHIELD
VLOVLOSH
VLOSH
VLOSH
STAP
GROOOOOOOOOOM

WATERY !
THE WATERY
PSCHUUUUU
PSCHUUU
SBLOSH

DOM DOM DOM DOM DOM
JUMP !
HUM
PLUS QUE DEUX CARTES !
BOI
NG
DOUM DOUM DOUM DOUM DOUM

SAKU-RA !
AH !
BASH
KYAAAAAA !
RUBY MOON, SPINEL SUN ! C'EST AVEC NOUS QU'IL FAUT VOUS BATTRE !
SUP
STOP !
FYUUUUUUUU UU UUU

SHAO-
LAN
!
風華招来!!
INVOCATION DU VENT
GGG
GG...
MMMH

MINCE !
UTILISER LA MAGIE DANS CES CONDITIONS,
QUELLE FOLIE...
BOM
SHAOLAN !

TRIOMPHE DE MA MAGIE !
SI TU VEUX LE SAUVER, AINSI QUE TOUS LES AUTRES...
GRIP

VENT !
ORNE LES CHAÎNES DE LA RÉDEMPTION !
WINDYYY !
VYUUUUUUUUUUU
AH !
TU NE M'ATTRAPERAS PAS
AVEC LA MÊME MAGIE QUE YUÉ !
DOM DOM DOM

SA-
KURA
!
FLAP
FLY
!
FLUM

FRCHFRCHFRCH
VLOOOF
KYAAAAAA
FLOPP
GRRRRRR
ATTEN-
TION
!

CRISS
DÉGAGE !
SAKURA !
ASH

WUUUU
SHUUU
PEUT-ÊTRE TIRENT-ILS LEUR FORCE DE LEUR ATTACHEMENT À SAKURA !
HMMM... POURTANT NOUS SOMMES PLUS FORTS QU'EUX !
MERCI !
VOUS VOUS FAISIEZ DU SOUCI ?
FLAP

RIEN DE CASSÉ ?
ÇA VA...
COMMENT FAIRE ?
COMMENT VAINCRE SA MAGIE SANS BLESSER ÉRIOL ?
J'AI 19 CLOW CARDS EN TOUT
SEULES 17 SONT DEVENUES DES SAKURA CARDS...
EH !
CELLES QUI SONT TOUJOURS DES CLOW CARDS SONT...
THE LIGHT
SAKURA
THE DARK
SAKURA

LES MOTS QUE J'AI VUS DANS MON RÊVE...
« LE... TOUR... EIL...LES... EILLERA... OUS.. »
« LE RETOUR DU SOLEIL LES RÉVEILLERA TOUS ! »

C'EST LA LUMIÈRE QUI ILLUMINE ET CHASSE LES TÉNÈBRES !
LA CARTE LIGHT ME L'AVAIT DIT !
EFFACER CES TÉNÈBRES !
ALORS LIGHT POURRAIT...
TUM
TUM
FLAAAAAASH
THE LIGHT
SAKURA

LIGHT ET DARK SONT DES CARTES QUI ONT UN GRAND POUVOIR...
PEUT-ÊTRE QUE TA PUISSANCE N'EST PAS ASSEZ GRANDE POUR TE LES APPROPRIER ?
ELLE NE SE TRANS-FORME PAS EN SAKURA CARD ?
OH NON !
IL NE FAUT PAS !
JAMAIS !
TOUT LE MONDE VA RESTER ENDORMI POUR TOUJOURS !

AA... HA...
C'EST À NOUS D'AGIR !
MAIS SI JE N'ARRIVE PAS À EN CHANGER UNE SEULE... ALORS DEUX !
IL FAUT DONC QUE TU LES TRANSFORMES EN MÊME TEMPS !
LIGHT ET DARK VONT TOUJOURS ENSEMBLE.
THE DARK
SAKURA
THE LIG
NOUS POUVONS PEUT-ÊTRE T'AIDER !
OUI...
MAIS JE CROYAIS QUE LES CARTES N'OBÉISSAIENT QU'À LEUR PROPRIÉTAIRE ?

ALORS, COMMENT COMPTEZ-VOUS M'AIDER ?
ON NE PEUT LES TRANSFORMER EN SAKURA CARDS QU'AVEC TON SPECTRE !
SI NOUS FUSIONNONS AVEC LUI, NOS POUVOIRS CUMULÉS ARRIVERONT À LES TRANSFORMER !
ABSORBE-NOUS DANS TON SPECTRE !
SI TU DISSIPES CES TÉNÈBRES, NOUS LE POURRONS !
MAIS VOUS ÊTES SÛRS QUE C'EST SANS DANGER ? VOUS POURREZ EN REVENIR ?

ET SI JE N'ARRIVE PAS À TRANSFORMER LA CARTE LIGHT ?
ILS RESTERONT ENDORMIS POUR TOUJOURS DANS TON SPECTRE !
ALORS COMME TOUS LES AUTRES...
SI JE N'Y ARRIVE PAS, JE NE VOUS REVERRAIS PLUS JAMAIS, YUÉ, KÉLO !
GRIP
ÇA, JAMAIS !

SUP
TOUT IRA BIEN !
TU CONNAIS LA FORMULE MAGIQUE QUI REND INVINCIBLE, SAKURA !
MAIS SI TU N'ESSAYES PAS,
TU NE REVERRAS JAMAIS PLUS PERSONNE !
SWIP

TOUT
IRA BIEN !

HHHSSS
FLASH
SSSSS

FLAAASH
SHUUUUUUU
TRANS-FORMEZ-VOUS !
JE VOUS EN PRIE !

FLAAAAASH
ZUUUUUUUUUUUUUUU
THE DARK

STOP
THE LIGHT
GGGGGGGGGGG
GRIP
SHAOLAN !?

MOI AUSSI JE SUIS DU SANG DE CLOW !
JE PEUX PEUT-ÊTRE T'AIDER !
MAIS SI TU FAIS ÇA, SHAOLAN....
AVEC TOI, SAKURA !
TOUT IRA BIEN...
OUI...

ALLEZ, SAKURA !
D'AC-CORD !

THE DARK
THE LIGHT

GG
GG
GGGG
ZHIP
SHAO-
LAAAN
!

SI JE NE PARVIENS PAS À LES TRANSFORMER...
JE NE REVERRAI PAS NON PLUS SHAOLAN !
JAMAIS DE LA VIE !
GRIP

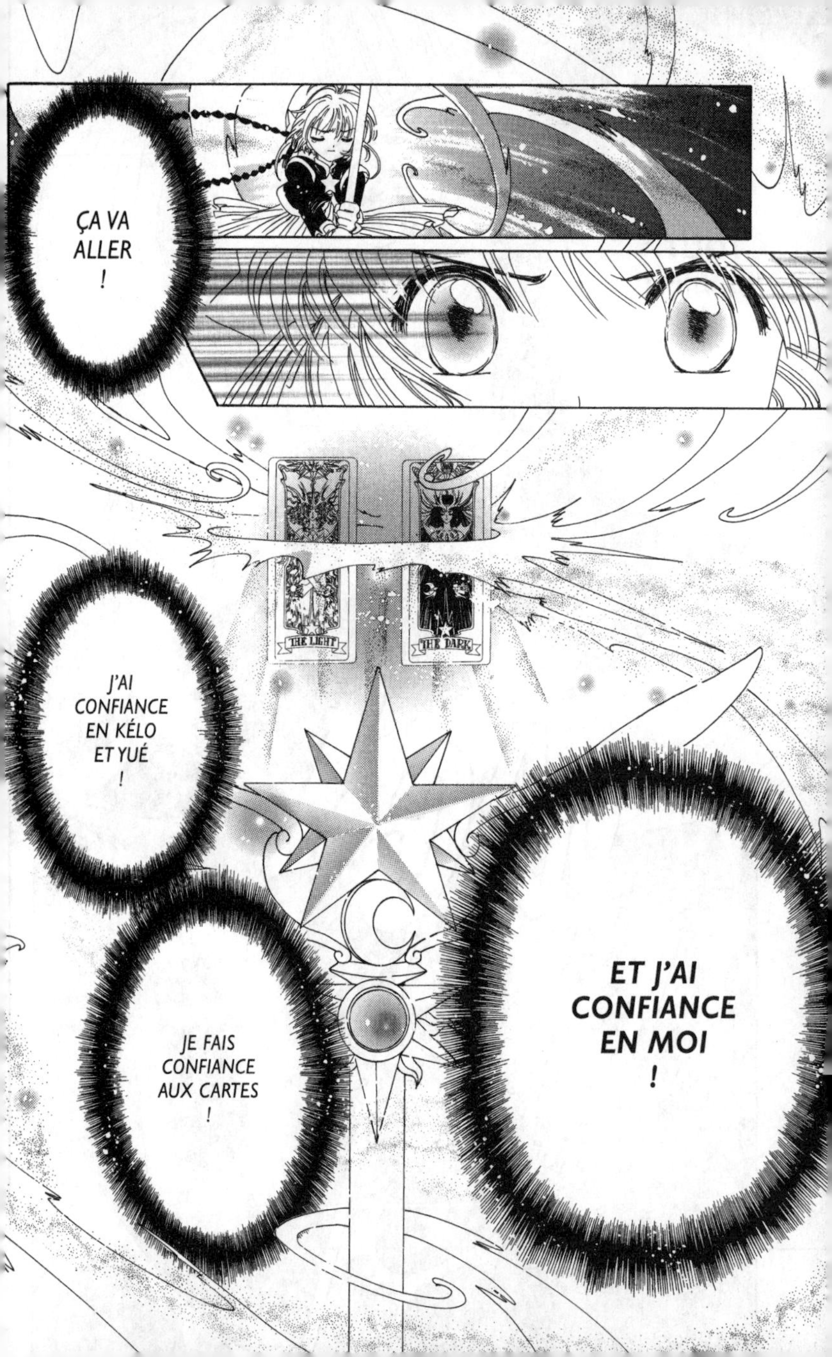
ÇA VA ALLER !
J'AI CONFIANCE EN KÉLO ET YUÉ !
THE LIGHT
THE DARK
JE FAIS CONFIANCE AUX CARTES !
ET J'AI CONFIANCE EN MOI !

TOUT IRA BIEN !
CLAC !
THE LIGHT
THE DARK

LIGHT
!
SAAAAAAAAAAAAA

FLAAAAAAA AAAA

AAAAASH

OUI !
EST-CE BIEN AINSI ?
ELLE A VAINCU LA MAGIE D'ÉRIOL !
OH LÀ LÀ !
VOICI DONC LA FIN...

TU AS RÉUSSI ?
OUI !
MILLE MERCIS !
GRIP
MERCI !

JE N'AI MÊME PAS PU T'AIDER JUSQU'AU BOUT !
MAIS JE N'AI RIEN FAIT...
COUIC
J'AI DONNÉ LE MEILLEUR DE MOI-MÊME PARCE QUE TU ÉTAIS LÀ,
SHAOLAN !

FLASH
CHUUUUUU
BIEN JOUÉ !
KÉLO, YUÉ,
MERCI !

TU N'AS PAS À NOUS REMERCIER...
PARCE QUE NOUS SOMMES TES AMIS !
SAKURA ?
TOMOYO !

OUI !
NON,
ET TOI TOMOYO, ÇA VA ?
TU N'ES PAS BLESSÉE ?
SHAAAA
ÇA VA,
IL VA SE RÉVEILLER !
MON FRÈRE !
AH !

TOUT EST FINI !
JE NE FERAI PLUS RIEN !
SAKURA...
SLAP

QU'EST-CE QUE TU VEUX DIRE PAR "C'EST FINI" ?
TU AS UTILISÉ LIGHT, MAIS LE VRAI SOLEIL NE S'EST PAS ENCORE LEVÉ, LUI !
TOUT À L'HEURE...
OH !
SI TU N'UTILISES PAS DARK POUR FAIRE REVENIR LA NUIT, ÇA VA FAIRE DES HISTOIRES...

DARK
!

FLAP!

FLAP LAP LAP LAP LAP
FLIP
VOILÀ, ELLES SONT TOUTES TRANSFOR-MÉES...

LES SAKURA CARDS QUE J'AI CRÉÉES
AVEC LA FORCE DE MON ÉTOILE !

BON ! CLOW ! MAINTENANT, VOUS NOUS DEVEZ DES EXPLICATIONS !
POURQUOI VOULIEZ-VOUS FAIRE DU MAL À SAKURA ?

POURQUOI AS-TU FAIT TOUT ÇA ÉRIOL ?
MOI AUSSI JE VEUX SAVOIR !
AH !

SAKURA
CARD CAPTOR

PAPA
!
?

ALORS TU NE T'ES PAS ENDORMI PAPA ?
QUE FAIS-TU ICI ?
JE PASSAIS DANS LES ENVIRONS, QUAND LE CIEL EST DEVENU SUBITEMENT TRÈS SOMBRE,
ENSUITE IL EST DEVENU LUMINEUX, JE ME DEMANDE POURQUOI ?
TAP TAP
ET PUIS J'AI ÉTÉ SURPRIS, LES GENS AUTOUR DE MOI SE SONT TOUS ENDORMIS D'UN COUP !
?
NON, JE SUIS BIEN ÉVEILLÉ !

MAIS LA MAGIE D'ÉRIOL A ENDORMI TOUT LE MONDE,
POURQUOI PAS TOI ?
?

PARCE QUE MA MAGIE NE FONCTIONNE PAS SUR LUI !

AH
EUH...
AH
!
EUH...
PLOP
QUI SONT CES DRÔLES DE GENS ?

HA !

TOUT VA BIEN !

CELA FAISAIT BIEN LONGTEMPS !
REN-CONTRER MON AUTRE MOI-MÊME !

PAPA SERAIT UN AUTRE ÉRIOL ?

C'EST PARCE QUE QUAND NOUS AVONS ÉTÉ SÉPARÉS EN DEUX, J'AI HÉRITÉ SEUL DE TOUS NOS SOUVENIRS !
JE NE COMPRENDS PAS TRÈS BIEN CE QUE VOUS VOULEZ DIRE...

ALORS PAPA EST AUSSI UNE RÉINCARNATION DE CLOW ?
L'ÂME DE CLOW LEAD A ÉTÉ DIVISÉE EN DEUX...
LA PREMIÈRE C'EST MON ÂME,
LA SECONDE EST CELLE DE TON PÈRE !
JE DÉSIRE QUELQUE CHOSE,
SAKURA...

TU TE TROMPES, SAKURA !
POURQUOI SUR PAPA ?
ET PUIS C'EST IMPOSSIBLE, CAR MA MAGIE NE MARCHERAIT SUR AUCUN DE VOUS DEUX !
JE VOUDRAIS QUE TU LANCES
UN SORT SUR MOI ET TON PÈRE !
ET, EN PLUS,
IL N'Y A QUE TOI QUI PUISSES LE FAIRE !

C'EST SANS DANGER...
CE N'EST PAS UNE MAGiE QUi PEUT BLESSER QUELQU'UN !
GRIP

ES-TU SÛR QUE PAPA NE RISQUE RIEN ?
ET SI JE LANCE LE SORT DE TON CHOIX, ÉRIOL...
GRIP
OUI !

ÉRIOL N'A PAS L'AIR DE ME MENTIR...
NON, ÇA VA !
SA-KURA !
JE VAIS ESSAYER...
N'EST-CE PAS ?

TU AS MA PROMESSE !
DIVISÉ EN DEUX
DIVISÉ EN DEUX
FLAAAAAAAASH
MAINTE-NANT RÉPÈTE APRÈS MOI L'INCANTATION SUIVANTE...
CLOW LEAD LE GRAND SORCIER
EST REVENU EN CE MONDE

POUVOIR MAGIQUE
SA FORCE CONTE-NUE EN UN SEUL
SA FORCE CONTENUE EN UN SEUL

COMME PAR LE PASSÉ CETTE ÂME FUT SÉPARÉE
EN DEUX, Ô MAGIE SOIT ÉGALEMENT DIVISÉE

HABITE LES DEUX PAREILLE-MENT...

TAC
SHUUU UUUUU U UUU UU UUU

SUP
ON LUI A JUSTE TRANSMIS LA MOITIÉ DE MES POUVOIRS !
IL VA BIEN !
TAP
ET PAPA ?

MAIS POURQUOI ?
POUR-QUOI ?
C'EST QUELQUE CHOSE QUE JE DÉSIRAIS...

MON SOUHAIT ÉTAIT DE NE PLUS ÊTRE LE PLUS GRAND SORCIER ICI-BAS !

JE N'AI PLUS LA FORCE DE MAINTENIR UN PÉRIMÈTRE DE TRANQUILLITÉ.
DES PASSANTS NE VONT PAS TARDER À ARRIVER...
NOUS AVONS ENCORE BEAUCOUP DE CHOSES À NOUS DIRE !

VOUDRIEZ-VOUS VENIR CHEZ MOI ?

VOILÀ...
PAR OÙ COM-MENCER ?
À CHAQUE ÉVÉNEMENT ÉTRANGE, ON SENTAIT LA PRÉSENCE DE CLOW...
À CHAQUE FOIS, C'ÉTAIT MOI !
POURQUOI LUI AVOIR FAIT SUBIR TOUTES CES ABSURDITÉS ?
MAIS SAKURA ÉTAIT DEVENUE LA MAÎTRESSE DES CARTES...

IL Y AVAIT
DEUX RAISONS À CELA...
LA PREMIÈRE : À CAUSE DE LA NOUVELLE MAGIE DE SAKURA,
LA FORCE STELLAIRE.
MON POUVOIR ?
TU TE SOUVIENS DE L'INVOCATION POUR TRANSFORMER LA CLÉ DU SCEAU ?
« CLÉ DU POUVOIR OCCULTE, CI-DEVANT, DÉVOILE TA VÉRITABLE APPARENCE. »

JE TE PARLE DE LA NOUVELLE CLÉ...
LA FORCE DES ÉTOILES...
MAIS TOI, SAKURA, TU TIRES TA FORCE DES ÉTOILES...
LES CLOW CARDS UTILI-SAIENT LES TÉNÈBRES,
C'EST LA MÊME SOURCE QUE MA MAGIE...
C'EST POUR CELA QUE LES CLOW CARDS ÉTAIENT INUTILISABLES AVEC LA NOUVELLE CLÉ STELLAIRE !
BIEN SÛR...

LEUR POUVOIR NE SE DÉCLENCHAIT PAS...
CETTE CLÉ ET LES CARTES ÉTANT DE NATURE DIFFÉRENTE,
MAIS CE N'EST PAS LE FAIT D'ÉRIOL...
LE GRELOT
DE MELLE MIZUKI ?
MAIS, LORS DE LA DERNIÈRE ÉPREUVE,
WINDY A BIEN FONCTIONNÉ POUR ATTRAPER YUÉ ?
OUI, GRÂCE AU GRELOT LUNAIRE !

J'AI MOI-MÊME INVESTI CE GRELOT
AVEC LES POUVOIRS DE LA LUNE...
CAR WINDY EST DE NATURE LUNAIRE...
ALORS, TU SAVAIS ÉGALEMENT QUE J'UTILISERAIS WINDY CONTRE YUÉ ?
...
LES CARTES AURAIENT CONTINUÉ À FONCTIONNER QUELQUE TEMPS
AVEC L'ÉNERGIE DES TÉNÈBRES QUI LEUR RESTAIT MAIS...
EN LES LAISSANT AINSI, ELLES AURAIENT PERDU TOUS LEURS POUVOIRS ET SERAIENT REDEVENUES DE SIMPLES CARTES !

TU AS FAIT EN SORTE DE CRÉER DES ÉVÉNEMENTS QUI M'OBLIGEAIENT À LES TRANSFORMER ?
ALORS,
TRANSFORMER LES CARTES, L'UNE APRÈS L'AUTRE ET SANS BUT AURAIT ÉTÉ DANGEREUX...
MAIS AVEC TA PUISSANCE INITIALE,
C'ÉTAIT DONC ÇA...
TU VEILLAIS TOUJOURS SUR SAKURA ET SHAOLAN LI AVEC UN REGARD DOUX !
QU'EST-CE QUI TE FAIT DIRE ÇA ?
ÉRIOL, JE SAVAIS QUE TU ÉTAIS UNE PERSONNE BIENVEILLANTE !

ALORS, TU AS COMPRIS MAINTENANT ?
NON,
PAS TOUT À FAIT !
AH !
TU NE POSSÈDES PAS DE POUVOIRS MAGIQUES,
EN CONTREPARTIE TON CŒUR TENDRE ET TON DISCERNEMENT SONT REMARQUABLES

SI ÉRIOL VOUS AVAIT RÉVÉLÉ SON IDENTITÉ, ET DEMANDÉ DE L'AIDE POUR TRANSFORMER LES CARTES,
EN AURIEZ-VOUS VRAIMENT ÉTÉ CAPABLES ?
GRM
MAIS DANS CE CAS, POURQUOI, DEPUIS LE DÉBUT...
NE PAS EN AVOIR PARLÉ À SAKURA OU À NOUS ?
GRRR
POUR MODIFIER LES CLOW CARDS, IL FALLAIT UN POUVOIR ÉGAL, SINON SUPÉRIEUR À CELUI DE CLOW.
DÉSOLÉ MAIS VOTRE MAÎTRESSE N'ÉTAIT CERTAINEMENT PAS EN MESURE DE LE FAIRE LORSQUE NOUS SOMMES ARRIVÉS À TOMOEDA.

ÌL S'EST APPROCHÉ DE TOÌ EN DEVENANT TON CAMARADE DE CLASSE...
ÉRÌOL T'A TOUJOURS ATTENDU,
EN CONSER-VANT LE MÊME ÂGE QUE TOÌ !
TOP
POUR QUE TU TRANSFORMES ET RENOUVELLES CHACUNE DES CARTES !
ÉRÌOL...

MERCI BEAUCOUP !
CLOW, NON ÉRIOL, TU SAVAIS DÉJÀ TOUT
POUR NOUS, COMME POUR LES CARTES...
PAS TOUT À FAIT...
PAS TOUT À FAIT, SAKURA...
IL S'EST AUSSI PRODUIT QUELQUE CHOSE QUE JE N'AVAIS PAS PRÉVU...
HEIN ?

TU PEUX ME PARLER COMME SI J'ÉTAIS UN GARÇON DE TON ÂGE !
OUPS!
EUH... QU'EST-CE QUE C'ÉTAIT ?
UNE CHOSE QUE CLOW LEAD N'A PAS PU PRÉVOIR ? C'EST QUOI ?

DISONS QUE C'EST ENCORE UN SECRET...
EN FAIT, ELLE NE CONCERNE QUE MOI !
L'AUTRE RAISON C'EST...

LORSQUE J'ÉTAIS CLOW LEAD,
L'ÉTENDUE DE MES POUVOIRS ME POSAIT PROBLÈME...
PRINCIPALEMENT LE FAIT QUE LA PRESCIENCE, TOUT SAVOIR ET TOUT PRÉVOIR, RETIRAIT TOUT INTÉRÊT À MON EXISTENCE MÊME.
C'EST POUR CELA QUE J'AI DIVISÉ MON ÂME EN DEUX EN MOURANT :
MOI, ÉRIOL, ET TON PÈRE, FUJITAKA KINOMOTO !

MÊME AVEC LA PUISSANCE DE CLOW LEAD,
MAIS JE N'AI PAS SU DIVISER MES POUVOIRS...
POUVAIT ÊTRE ACCOMPLI UNIQUEMENT PAR UN MAGICIEN QUI VAINCRAIT CLOW...
FAIRE CE QUE LA MAGIE DE CLOW NE PERMET PAS...
TOI, SAKURA !
PAR EXTENSION, PAR QUELQU'UN QUI TRANSFORMERAIT À SA GUISE LES CARTES DE CLOW...

AINSI, TU PEUX DIVISER MES POUVOIRS COMME FUT DIVISÉE MON ÂME...
MOI...
MERCI BEAUCOUP, SAKURA !
SUP
JE SUIS DÉSOLÉ DE T'AVOIR FAIT SUBIR AUTANT D'ÉPREUVES !
ENFIN, JE NE SUIS PLUS
LE PLUS GRAND DES SORCIERS !

SUITE ET FIN DANS LE VOL 12

CLAMP

Titre original :
CARD CAPTOR SAKURA, vol. 11

First published in Japan in 2000
by Kodansha Ltd., Tokyo
French publication rights
arranged through Kodansha Ltd.
French translation rights : Pika Édition

Traduction et adaptation : Reyda Seddiki
Lettrage : Valérie Pizzonero

L'édition originale de cet ouvrage
a été publiée dans le sens de lecture
japonais. Les images ont été retournées
pour l'édition française.

ISBN : 2-84599-116-9
Dépôt légal : mai 2001
Imprimé en Allemagne par Clausen & Bosse
Diffusion : Hachette Livre

DÉJÀ PARUS

Ah! My Goddess - Vol. 17
(Kosuke Fujishima)

B'tx - Vol. 14
(Masami Kurumada)

Clamp School Detectives
Vol. 3
(Clamp)

Dragon Head - Vol. 10
(Mochizuki Minetaro)

Genzo, le marionnettiste
Vol. 2
(Yuzo Takada)

GTO - Vol. 4
(Tôru Fujisawa)

Legend Of Lemnear - Vol. 3
(Kinzi Yoshimoto &
Satoshi Urushihara)

Seraphic Feather - Vol. 6
(Hiroyuki Utatane, Toshiya
Takeda)

Trèfle (Clover) - Vol. 4
(Clamp)

You're Under Arrest
Vol. 7
(Kosuke Fujishima)

3X3 Eyes - Vol. 18
(Yuzo Takada)

À PARAÎTRE

Ah! My Goddess - Vol. 18
(Kosuke Fujishima)

B'tx - Vol. 15
(Masami Kurumada)

Card Captor Sakura - Vol. 12
(Clamp)

GTO - Vol. 5
(Tôru Fujisawa)

NOUVELLES ÉDITIONS

Ah! My Goddess - Vol. 1 à 10
You're Under Arrest - Vol. 1 à 5
(Kosuke Fujishima)

Card Captor Sakura - Vol. 1 à 2
Clamp School Detectives - Vol. 1
Trèfle (Clover) - Vol. 1 à 3
Magic Knight Rayearth
Vol. 1 à 6
(Clamp)

B'TX - Vol. 1 à 8
(Masami Kurumada)

Dragon Head - Vol. 1 à 5
(Mochizuki Minetaro)

3X3 Eyes - Vol. 1 à 10
(Yuzo Takada)

Plastic Little
Chirality - Vol. 1 à 3
(Satoshi Urushihara)

Seraphic Feather - Vol. 1 à 4
(Hiroyuki Utatane,
Toshiya Takeda)

DANS LA MÊME COLLECTION

AH! MY GODDESS

Kosuke Fujishima

Keichi, jeune célibataire timide, voit débarquer dans sa vie une superbe déesse, Belldandy, venue exaucer un de ses vœux : rester toujours auprès de lui. La vie de Keichi est bouleversée... Belldandy est pleine de bonne volonté et n'hésite pas à utiliser ses pouvoirs pour aider Keichi et ses amis. Le seul problème est qu'elle ne contrôle pas toujours sa puissance !!!

Ah ! My Goddess est un conte moderne au style raffiné et utilisant un panthéon de déesses nordiques pour nous faire découvrir l'odyssée de Keichi : cela donne un manga plein de charme et d'humour.

DANS LA MÊME COLLECTION

3x3 EYES

Yuzo Takada

Un soir, Yakumo, jeune habitant de Tokyo, rencontre Paï. Elle est porteuse d'un message du père de Yakumo disparu il y a plusieurs années au Tibet. Dans ce courrier, Yakumo apprend que Paï est la dernière survivante d'une race mystérieuse, dotée de pouvoirs surnaturels, et qu'il doit l'aider à se tranformer en être humain. Commence alors une fantastique aventure pour les deux héros...

3x3 Eyes est un manga ésotérique qui comblera les fans d'aventure mystique. Il est considéré comme une des plus fascinantes séries jamais produites au Japon.